D0726989

Les grands
z'inventeurs

Notre site: www.soulieresediteur.com regorze
d'invenzions zé de créateurs zextraordinaires !

**Du même auteur
chez le même éditeur**

Le soufflé de mon père, coll. Ma petite vache a mal aux pattes, 2002
Dodo les canards, coll. Ma petite vache a mal aux pattes, 2005
Un trou dans le cœur, roman pour adolescents, coll. Graffiti, 2011

Chez d'autres éditeurs

Herménégilde l'Acadien, coll. Plus, éditions Hurtubise, 2000
L'Arbre à chaussettes, éditions Hurtubise, 2001
Petits bonheurs, coll. Sésame, éditions Pierre Tisseyre, 2002
L'île aux loups, col. Sésame, éditions Pierre Tisseyre, 2003
Fortune de mer, éditions Chenelière/McGraw-hill, 2003
Un étrange phénomène, éditions Hurtubise HMH, 2003
Un jour merveilleux, coll. Sésame, éditions Pierre Tisseyre, 2004
Le ciel en face, éditions Bouton d'or Acadie, Moncton, 2005. Finaliste 2006 du Prix France-Acadie; Prix Émile-Ollivier 2007
Capitaine Popaul, éditions Hurtubise, 2008
La jeune lectrice, éditions Bouton d'or Acadie, 2008
Capitaine Popaul t. 2 : le retour, éditions Hurtubise, 2009
La blessure, éditions les Z'ailées, 2010
L'éléphant Plume et le rat Bougri, éditions Bouton d'or Acadie, 2011

Romans pour adultes
Roman et Anna, éditions Hurtubise, 2006
Confidence à l'aveugle, éditions Hurtubise, 2008 (Finaliste 2008 au Prix littéraire Antonine-Maillet-Acadie Vie)
Inventaire du Sud, éditions L'instant même, 2010 (Finaliste 2011 au Prix littéraire Antonine-Maillet-Acadie Vie)

Les grands z'inventeurs

**drôlement décrits
par Alain Raimbault
et joyeusement dessinés
par Caroline Merola**

SOULIÈRES
ÉDITEUR
www.soulieresediteur.com

case postale 36563 — 598, rue Victoria
Saint-Lambert (Québec) J4P 3S8

Soulières éditeur remercie le Conseil des Arts du Canada et la SODEC de l'aide accordée à son programme de publication et reconnaît l'aide financière du gouvernement du Canadapar l'entremise du Fonds du livre du Canada (FLC) pour ses activités d'édition. Soulières éditeur bénéficie également du Programme de crédit d'impôt pour l'édition de livres –Gestion Sodec – du gouvernement du Québec.

Dépôt légal: 2012

Catalogage avant publication de Bibliothèque et Archives nationales du Québec et Bibliothèque et Archives Canada

Raimbault, Alain
    Les grands z'inventeurs
    (Collection Ma petite vache a mal aux pattes ; 112)
    Poèmes.
    Pour enfants de 7 ans et plus.
    ISBN 978-2-89607-156-2

    I. Merola, Caroline. II. Titre. III. Collection:
Collection Ma petite vache a mal aux pattes ; 112.
PS8585.A339G72 2012   jC841'.6C2012-940597-3
PS9585.A339G72 2012

Illustration de la couverture
et illustrations intérieures :
Caroline Merola

Conception graphique de la couverture :
Annie Pencrec'h

À mes enfants
qui m'ont inventé
une nouvelle vie.

Premier avertissement

Pour passer de la caverne où nous vivions entourés de mammouths hostiles et mal peignés à nos grandes maisons éclairées même la nuit, il a fallu que de petits génies se rendent compte que, malgré tout, nous n'avions pas grand-chose et qu'il serait peut-être temps d'inventer l'eau chaude.

Alors, on a imaginé des objets destinés à se procurer facilement de la nourriture, sans avoir à chasser, sans prendre de risques. Des machines pour voyager rapidement, parce qu'on n'a plus le temps d'attendre ; d'autres pour communiquer avec des gens au-delà de l'horizon ; et d'autres enfin pour nous soigner, pour nous amuser.

Je pense que si l'homme des cavernes venait soudain visiter notre monde où volent des avions bleus et des fusées qui crachent du feu, s'il regardait ne serait-ce qu'une seule fois un dessin animé à la télévision, il courrait se réfugier en grognant dans la première caverne venue (une station de métro ?). Quant au mammouth, lui, je suis sûr qu'il irait aussitôt chez le coiffeur et qu'il en ressortirait parfumé et rasé de frais avec une chaînette d'or autour du cou. Et des écouteurs de taille dinosaure dans les oreilles.

Dans ma forêt près d'Halifax
peuplée de coyotes et d'orignaux,
je bricole la syntaxe
avec un dictionnaire.
C'est tout ce qu'il me faut.

Laissez-moi vous raconter
la vie extraordinaire
des génies du passé.

Inutile de me suivre à la lettre
parce que mon imaginaire
aime trop la liberté.
D'ailleurs, les inventeurs
de mon inventaire
ne sont plus là pour témoigner.

Accrochez-vous au lampadaire
ou au porte-manteau,
allumez la lumière,
attention, on va commencer…

Johannes Gutenberg
(Allemand, né vers 1400-
décédé en 1468)

Gutenberg inventa la presse à bras
parce qu'avec les pieds,
il n'y arrivait pas.

En effet, il était très fatigué
de recopier toute la journée
et à la main
de vieux textes en latin
sur de gros parchemins.
Gutenberg avait mal aux reins !

Les caractères, les encres
pour l'impression
et les casses de composition
lui furent très utiles
pour imprimer le premier livre.

Heureusement qu'il savait lire,
sinon, cela n'aurait pas été facile…

Léonard de Vinci
(Italien, 1452-1519)

Léonard de Vinci,
contrairement à son nom,
ne devint pas scie,
mais inventeur de renom.

On lui doit l'hélicoptère,
le sourire de la Joconde
et des machines de guerre,
carrées, en bois ou rondes.

De Vinci peignait de surcroît
des montagnes très jolies
et des morceaux d'humains
très vilains.

Les carnets dans ses tiroirs
souvent écrits à l'envers
pour percer les mystères
du grand univers
ont besoin de miroir
pour parler à l'endroit.

Léonard de Vinci
ce père Noël de l'Italie,
couché, debout, assis,
était un grand génie.

Galileo Galilei, dit Galilée
(Italien, 1564-1642)

Les parents de Galilée
n'étaient pas très doués
pour les prénoms.
Ils auraient pu le prénommer
Noé, Elvis ou Dédé,
mais non.
Ce sera Galileo Galilei.

Fâché de s'appeler ainsi,
ce savant passa sa vie
l'oeil dans sa lunette
à compter les étoiles
et pendant son sommeil,
il posa le Soleil
au centre de la toile
(comme monsieur Copernic).
Bien mal lui en prit.

La Terre n'était ronde
que depuis quelques années
et les têtes couronnées,
fatiguées des révolutions
scientifiques
soutenaient que la Terre trônait
au centre du monde.

Armé de sa lorgnette
et d'un bâton,
l'astronome eut du mal à prouver
qu'il avait raison.
Jugé coupable comme une sorcière,
l'Église le fit taire.

Si Galileo Galilei
avait étudié les fourmis,
il serait mort centenaire
bien au chaud dans son lit
et on n'aurait jamais parlé de lui.

Christian Huygens
(Néerlandais, 1629-1695)

Puisque Christian Huygens arrivait
plus souvent qu'à son tour
en retard à ses cours,
après de savants calculs,
il inventa donc l'horloge à pendule.

Ayant réglé la question
de la ponctualité,
Christian s'amusa à observer
les cratères de la Lune,
les anneaux de Saturne
et la nébuleuse d'Orion
où il distingua des régions
en ébullition.

Il se mit alors à esquisser
sur des bouts de papier
d'autres mondes habités
de petits hommes ronds et frisés
qui préféraient rouler
plutôt que marcher.

Mais il détruisit aussitôt ses dessins,
car pour un académicien,
ça ne faisait pas très malin.

Denis Papin
(Français, 1647- vers 1714)

Denis Papin
connut quelques pépins
en remuant de l'eau chaude,
mais il fallait bien s'occuper
en ces périodes
sans télé.

Quand son sous-marin à rames
qu'il appela l'Urinator
coula encore,
ce fut un drame !
Et sa machine à incendie
ne fit pas grande impression
comme on dit.

Denis Papin inventa aussi
le Digesteur ou marmite à pression
pour ramollir les os des cochons.
Malheureusement,
il mourut pauvre et oublié
dans une rue sombre d'Angleterre.

S'il avait été chef cuisinier,
au moins il aurait pu manger
du flan au bain-marie,
du lapin bien cuit
et de la tarte papin... non, tatin !

Benjamin Franklin
(Américain, 1706-1790)

Petit dernier d'une famille
puritaine et américaine
de dix-sept enfants
(pauvre maman !),
Benjamin voulut devenir grand.
Il passait la semaine à s'ennuyer
dans la fabrique de bougies
de son père,
qui, soit dit en passant,
n'était pas une lumière.

Benjamin adorait les livres
et rêvait d'être savant.

Il travailla chez un imprimeur,
lut tout Shakespeare,
vendit du papier et
écrivit des articles en secret.
Grand voyageur,
scientifique amateur,
il inventa dans son temps libre
et sans se faire de mal :
le paratonnerre,
avec son cerf-volant.

Il inventa aussi la première
bibliothèque municipale
où chacun pouvait prêter
gratuitement, ma chère,
ses livres à la communauté.

C'était tout bête,
mais il fallait y penser.
(Moi, c'est cette invention-là
que je préfère.
L'éclair, ce n'est pas ma tasse
de thé.)

En grandissant, Benjamin
devint sage.
Il lutta pour l'abolition de l'esclavage
et fut l'un des signataires
de la Constitution américaine.

Benjamin, l'imprimeur,
ce petit enfant qui rêvait en couleurs,
et que le père croyait
un peu vide de la tête,
(franchement !)
de tous les Franklin, Benjamin
était finalement le moins bête
et devint le plus grand.

Joseph-Ignace Guillotin
(Français, 1738-1814)

Joseph-Ignace Guillotin
n'a rien d'un galopin.
Étudiant très sérieux au séminaire,
il s'éloigne de la théologie
pour étudier l'anatomie.
Le monde des viscères
lui semble, en effet, plus joli que
Jésus et Marie.

Quand, devenu docteur,
il sort de son cabinet,
c'est pour demander
la liberté de la presse,
et le droit de voter.
Guillotin est élu député
au début de la Révolution
et réclame l'égalité
pour toute exécution.
Au lieu d'écarteler les condamnés,
de les pendre ou de les brûler,
mieux vaut, pense-t-il, les exécuter
dans un souci humanitaire
tous de la même façon !

Avec une mécanique fine, rapide
et bien réglée.
Ce sera donc la guillotine.
On lui donnera de charmants
surnoms : La « Veuve »,
le « Moulin à silence »,
ou le « Monte-à-regret ».

Après la fin de la royauté,
déçu que son invention
soit synonyme de terreur
et non pas de progrès,
Guillotin retourne à la médecine.
Il recommence donc à soigner,
fait progresser la science,
puis il meurt dans son lit,
la tête bien au chaud sur l'oreiller.

Les frères Montgolfier (Français)
Joseph (1740-1810)
Étienne (1745-1799)

D'une famille de papetiers,
les frères Montgolfier
jetèrent du papier (évidemment)
dans la cheminée
et furent émerveillés
de le voir s'envoler.

Un rien les amusait.
Ainsi naquit l'idée
d'emprisonner la fumée
dans de la toile de coton
pour former un ballon.
Ils y fixèrent un panier
avec à son bord un canard,
un coq et un mouton.
Après quelques minutes
dans les cieux,
nos trois amis un peu nerveux
ne furent ni rôtis ni intoxiqués,
mais atterrirent décoiffés
dans un champ,
crus, entiers et vivants.

Monsieur Pilâtre de Rozier,
jaloux du succès fracassant
de la volaille et du mouton volant
fut le prochain passager
du panier
et le premier humain
à monter dans les airs
sans sauter, ni tomber, ni rien.

On baptisa l'aérostat,
en l'honneur des fameux frères,
la Montgolfière !

Nicéphore Niepce
(Français, 1765-1833)

Nicéphore Niepce était bien né.
Il possédait trois cents chevaux
pour se promener
sur sa propriété,
mais avant de terminer ruiné,
il tenta de vendre
son moteur marin à explosion…
que personne ne voulut prendre.

Nicéphore s'engagea dans l'armée
de la Révolution
à l'époque de Napoléon,
puis cultiva le pastel,
et imita sans succès
le mouvement perpétuel
tout en cherchant une bonne idée
facile à réaliser
et dont on se souviendrait.

Il pensa à l'avion à réaction,
aux fusées intergalactiques,
au rasoir électrique

et à télécharger légalement
de la musique électronique
mais là, c'était un peu trop tôt.
S'il avait raconté ses visions
dignes d'un roman de science-fiction,
on l'aurait jeté dans un cachot.

Nicéphore Niepce inventa alors
quelque chose d'acceptable,
que l'on pourrait poser sur une table :
la bonne vieille photo
en noir et blanc,
comme au temps héroïque
de nos grands-parents.

George Stephenson
(Anglais, 1781-1848)

George Stephenson
qui aimait beaucoup les chevaux
ne supportait pas
de les voir tirer de lourds chariots
durant de longues heures
au fond des mines
où il travaillait aussi avec
son pauvre père.

La mort de ces animaux
le mettait en colère.
George apprit donc à lire
et à compter…
d'abord sur ses doigts…
Puis il devint ingénieur.
Il inventa ensuite une machine
pour remplacer
ces chevaux sans vapeur
Ce sera donc la locomotive à vapeur.

D'abord pour le charbon,
puis pour les marchandises,
cette machine à turbines
et à pistons
qui sortit de ses usines
ne connut pas la crise.
Elle fendait la bise
à trente kilomètres-heure.
Ensuite, elle transporta
des voyageurs
de Liverpool à Manchester
sur des chemins de fer
toujours plus encombrés.

Les chevaux quittèrent
les mines à jamais
et personne ne pensa à remercier
George Stephenson
pour son invention salvatrice.
(Sauf moi. Ça y est. Je l'ai fait !)

Frédéric Sauvage
(Français, 1786-1857)

Frédéric Sauvage, un peu lent
à la nage,
construisait des bateaux.
Au fond de lui,
il préférait les arbres,
les carrières de marbre
et les petits oiseaux.
Il se consacra alors à la sculpture
de statues miniatures
pour décorer son joli bureau.
Et tant pis pour les bateaux.

Un beau jour, en canot,
Frédéric colmata une voie d'eau
en faisant tourner une vis
au centre d'un bouchon,
ce qui lui donna l'idée nouvelle
de l'hélice à manivelle
pour la propulsion
de son embarcation.

Confiant, Frédéric investit
ses maigres économies
afin de promouvoir son invention.
Bien mal lui en prit.
Très vite volé, trahi, sans illusion,
il vendit ses outils
pour terminer ruiné et en prison.

Un sympathique journaliste
eut pitié de lui.
Il fit changer ses banquiers
d'opinion.
Quand Frédéric sortit de prison,
l'État lui versa même une pension
mais personne, c'est dommage,
ne vint lui dire merci.
Pauvre, pauvre Frédéric Sauvage.
Les génies aux idées sages,
hélice… non, hélas !
ont souvent mal fini.

Charles Babbage
(Anglais, 1791- 1871)

Charles Babbage était
un mathématicien émotif,
et fut vite déshérité
par son père banquier
pour le simple motif
de son mariage d'amour
avec la belle Georgiana.

Durant sa vie hyperactive,
Charles Babbage inventa
le pare-buffle pour locomotive.
Un autre jour, ce sera
le prix unique du timbre-poste,
le compteur de vitesse,
et, tout en sirotant son thé,
accompagné de deux ou trois toasts,
sa célèbre machine à différences
pour effectuer des calculs
compliqués.
Sa machine ressemblait
(quand on y pense)
à un ordinateur en bois.

Lorsque Georgiana,
sa tendre épouse, décéda
après la mort de ses cinq enfants,
il calcula et calcula
avec ou sans machine
le poids des ans
sur son échine
que le malheur
n'avait pas épargnée.

Samuel Finley Breese Morse
(Américain, 1791-1872)

Samuel Morse préférait
la peinture…
sans numéros
à la fréquentation
de ses contemporains.
Il recherchait la ligne pure,
seul, du soir au matin.
C'est lors d'un voyage
que Samuel Morse découvrit
les grands avantages
de l'électro-aimant.
Lui qui n'aimait pas
spécialement l'électricité
désira inventer
un appareil nouveau
pour communiquer.
Mais de loin, car la proximité
des gens l'incommodait
passablement.

Il prit Alfred Lewis Vail, un ami,
comme collaborateur

(le véritable inventeur de son code
fait de points et de traits
très courts et très commodes)
et, finalement, Samuel Morse
dessina la ligne
dont il avait tant rêvé :
une ligne télégraphique,
qui assura sa digne renommée.

À force d'insister,
son télégraphe électrique
d'emploi facile fut adopté
sur tout le continent.
Alors, il abandonna ses pinceaux
pour finir en jouant
avec des électrodes
tout seul, dans son bureau.

Samuel Morse ne parut jamais
très sympathique.
Il sut cacher ses sentiments.
Son invention ne sauva pas
le Titanic,
mais elle fonctionna longtemps,
et parfaitement.

Walter Hancock
(Anglais, 1799-1852)

Walter Hancock
nourrissait une passion secrète
pour les chouettes, les poux,
les brouettes,
la vulcanisation du caoutchouc
et les oeufs à la coque,
un point c'est tout.

Un jour qu'il désirait assister
à une course de mouettes
avec son frère Thomas,
après avoir beaucoup cherché,
il ne trouva, c'est bête,
qu'un vieux cheval
de mauvaise humeur
pour les transporter.

— Ah, ça ne va pas, ça ne va pas !
cria Walter, qui s'emporta.
C'est pourquoi il inventa
l'autobus à vapeur
capable de foncer

à vingt kilomètres-heure
à travers les champs.
Malgré des explosions, de-ci, de-là,
qui laissaient les huit passagers
en état de choc
ou complètement calcinés.

Quelques villes
dont nous tairons le nom
se dotèrent de l'autobus
de Walter Hancock,
lequel chantait toujours de bonheur
en conduisant sa bombe
à retardement.

Waaalllterrr youp là boom !...
la la la la la la lèèère...

Louis Braille
(Français, 1809-1852)

L'histoire de Louis Braille[1]
est belle à pleurer.
Il est fils de bourrelier
et c'est lors d'un travail
à l'atelier, quand il a trois ans,
qu'il se blesse à l'oeil.
À la suite d'une infection,
il perd la vue pour de bon.

Dans une institution
pour aveugles on l'accueille
et le jeune Louis se montre
si intelligent
qu'il gagne tous les prix
de musique ou de géographie.

---

1. Dans la même collection, chez le même charmant éditeur, on retrouve la biographie complète de Louis Braille sous la plume de Danielle Vaillancourt, livre admirablement illustré par Francis Back.

Il invente alors
une nouvelle écriture
pour que ses amis aveugles
puissent accéder à la lecture
de tous les documents.

Louis Braille est si content
de l'efficacité
de son invention
qu'il sautille de joie
dans le jardin de l'institution
où il est maintenant professeur
tout en imaginant
des améliorations.
Il aimerait tant
que tout le monde soit
capable d'accéder
à la culture de ceux qui voient.

Mais le bonheur
est parfois de bien peu de choses.

C'est de tuberculose
que ce visionnaire des ténèbres
meurt à l'âge de 43 ans,
entouré de ses amis
et de son frère aîné
qui lui tient la main.

Adolphe Sax
(Belge, 1814-1894)

Autour du berceau
d'Adolphe Sax,
papa jouait du piano
et maman Sax,
de l'alto.
Flûte, alors ! Le voisin allergique
à la musique
donnait des coups violents
dans le plafond de l'appartement.
Bébé Adolphe grandit heureux
au milieu des instruments.

Quelques années plus tard,
il remplaça la sucette
par une clarinette
dont il joua parfaitement.
Cherchant à imiter la voix des cordes,
mais en soufflant,
il inventa dans l'ordre
une série d'instruments,
du plus petit jusqu'au plus grand :
les saxophones.

Le voisin monotone –
toujours le même –
se demanda longtemps
pourquoi il n'avait pas
déménagé ailleurs…
loin…
très loin des créateurs
d'instruments.

William Thomas Green Morton
(Américain, 1819-1868)

William Morton étudia
tout et n'importe quoi
pour impressionner
sa fiancée Rebecca
avec laquelle il se mariera.

Vendeur dans son jeune temps,
il devint sans mentir
arracheur de dents.
Sensible face à la douleur
de ses patients
et déçu par le gaz hilarant
qui pour lui n'avait rien d'amusant
(allez savoir pourquoi !),
il sut tirer parti
des propriétés de l'éther
pour l'anesthésie.
Il l'utilisa donc en chirurgie.

Grâce à lui, désormais, les opérés,
bien au chaud
dans les bras de Morphée,
cessèrent de pousser

des hurlements
quand on les découpait joyeusement
au bistouri. Aïe !
(Quelle horreur!)

Disons que William Morton
inventa le sommeil
dont tous les chirurgiens rêvaient
et puis personne,
c'est toujours pareil,
ne songea à le remercier.

Il termina amer et vexé
avec veaux, vaches,
cochons, couvées
qu'il achetait et revendait
loin des docteurs,
ces méchants usurpateurs
de son endormante invention.

John Pemberton
(Américain, 1831-1888)

John Pemberton prend l'habitude
de faire des mélanges
les plus étranges
lors de ses études en pharmacie.

Pendant la guerre de Sécession
(1861-1865),
il s'engage dans un bataillon
de cavalerie.
Blessé mais remis, il concocte
des produits
comme la liqueur de gingembre
qui vous fait repousser
les membres,
surtout en décembre,
ou une crème à base d'eau
pour soigner les problèmes
de peau.

Ses mixtures ont raison
de la toux, du foie ou des poumons
en toute saison, y compris en hiver.

Enfin, Pemberton,
John de son prénom
lance avec fracas
sa nouvelle boisson du tonnerre
qu'il nomme *Coca-Cola*
pour guérir je ne sais quoi.

Même si ça pique dans l'estomac,
cette invention-là
n'a pas fini
d'agrémenter nos repas.

Eugène-René Poubelle
(Français, 1831-1907)

Monsieur Poubelle,
préfet de Paris,
se promène dans la rue.
Un peu surpris,
il trouve que sa ville si belle pue.
Les pavés et les trottoirs
sont jonchés de déchets
que la population
jette par la fenêtre.
— Ça ne sent vraiment pas bon!
se dit le préfet,
le nez dans son mouchoir.
Il faudrait peut-être
éviter ce caca!

Et c'est comme ça
qu'il imposa aux Parisiens
l'usage de caisses en bois,
une, deux et trois,
pour trier et ramasser
ce que même les chiens
ne mangeraient pas.

Durant ses heures creuses,
entre la sieste et deux rendez-vous,
Eugène-René Poubelle inventa le
tout-à-l'égout
pour évacuer les eaux affreuses
qui d'habitude salissaient
les piétons jusqu'aux genoux.

Monsieur Poubelle, dit-on,
fidèle à son nez délicat,
sauva Paris du choléra
… rien que ça!

Alexandre Gustave Eiffel
(Français, 1832-1923)

Gustave Eiffel, petit garçon,
posa une échelle contre sa maison
pour toucher les nuages,
mais n'atteignit que le plafond.
De rage, il s'enferma
dans le garage
et fabriqua un ascenseur
télescopique
avec son jeu de construction.

Plus tard, Eiffel qui n'avait rien
de mieux à faire
fit Polytechnique et lança des ponts
vers le Nord, le Sud,
l'Est et l'Ouest.

Il dota la statue de la Liberté
d'un squelette en acier
et il traça des plans
pour des tunnels
et des métros aériens.

Mais Gustave ne prit
jamais le temps
de jouer avec ses enfants.
Porté par son inspiration,
il éleva dans le ciel parisien
la fameuse tour qui porte son nom
pour l'Exposition universelle de 1889.

C'est fou tout ce qu'il a su faire
avec des barres de fer
et un tas de boulons!
Finalement, Gustave Eiffel
dépassa de loin notre imagination.

Alfred Nobel
(Suédois, 1833-1896)

Le bon Alfred Nobel,
d'humeur mélancolique,
chercha une âme soeur
pour aller au cirque.

Ne trouvant pas celle
qui prendrait son coeur,
Nobel voyagea en Amérique
et en revint ingénieur.
Il fabriqua des armes
pour sécher ses larmes
et après des explosions tragiques,
il inventa la dynamite
et le détonateur qui va avec.

Mais la plus belle réussite
de ce bienfaiteur
de l'humanité
fut d'être créateur
du prix Nobel de la paix
qui est décerné chaque année
depuis 1901...

avec grand bruit !

Clément Ader
(Français, 1841-1925)

Clément Ader
s'éleva dans les airs
dans des imitations
de chauves-souris à propulsion.

Ses avions
connurent un triste sort.
Impossibles à manoeuvrer,
la moindre rafale de vent
les envoyait dans le décor.
Clément Ader construisit aussi
des chenilles de char
et des aéroglisseurs.
Pour les spectateurs
toujours en retard,
il créa le théâtrophone,
une sorte de téléphone
pour écouter
de l'opéra à domicile.
Quelle bonne idée !
C'est juste ce qu'il nous fallait !

Clément Ader,
grand expert en automobiles,
termina sa carrière
en vigneron tranquille.
Ses dernières expériences
consistèrent à tester
la résistance à l'air
des avions en papier.

Constantin Senlecq
(Français, 1842-1934)

Constantin Senlecq était notaire.
Il dessina pour se distraire
une machine à transmettre
non pas des pizzas (le pizzascope)
ni des tomates farcies
(le tomatofarcioscope),
mais des images
qu'il n'appela pas non plus
l'imaginoscope,
c'est dommage,
mais le télectroscope…
qu'il ne fabriqua jamais !

Les scientifiques de l'époque,
portugais et américains,
copièrent vite ses idées
(Ah, les vilains !)
pour les améliorer.

Notre ami Constantin
ne passa pas à la postérité
pour l'invention de la télévision.

Il ne put non plus assister
à la retransmission
de la première émission,
car étant très âgé
il souffrait de cécité.

Aveugle et solitaire
Constantin, le notaire,
se dit dans son studio
qu'il aurait bien mieux fait
d'inventer la radio.

Alexander Graham Bell
(Canadien, 1847-1922)

Pour parler à sa maman
devenue sourde
quand il était enfant,
Alexander Graham Bell
étudia la communication.

Après avoir grandi un peu,
il devint, c'est sérieux,
professeur de diction à Boston.
Son amour des voyelles
et surtout des consonnes
lui donna des ailes
pour fabriquer le premier téléphone
au Cap-Breton,
en Nouvelle-Écosse.

Entre-temps,
il construisit aussi un chien parlant
qui aboyait tout en chantant,
avec du fil de fer,
il faut le faire,
et des tuyaux à vent.

La botanique, la phonétique,
tout ce qu'il touchait
semblait magique.
Était-il canadien, américain
ou écossais ?
Tout ce que l'on sait,
c'est qu'il a travaillé
sa vie durant pour être compris
par sa petite maman.

Thomas Edison
(Américain, 1847-1931)

Super nul à l'école,
(personne n'est parfait),
Thomas Edison
lit tout seul à la maison
les livres de science et d'art roman
à Port Huron, dans le Michigan.
Il installe à douze ans
son laboratoire de chimie
dans un wagon-imprimerie.
À treize ans, il connaît tout
de la physique
et de la mécanique
et à quinze ans,
comme tout le monde,
il a des boutons sur le visage.

Un peu plus tard,
il développe le télégraphe
puis invente le phonographe
et l'ampoule électrique.

Rien n'arrête ce couche-tard
qui, de jour comme de nuit,

c'est bien connu,
en courant, continue.
Thomas Edison dépose sans arrêt
des brevets d'invention
pour le bien-être de l'humanité
qui mèneront à la construction
de la chaise électrique
pour remplacer
l'exécution par pendaison.

Vive le progrès !
Pour chaque question,
bonne ou mauvaise,
Edison l'éclectique
propose une solution…
électrique ou non.

James Naismith
(Canadien, 1861-1939)

Quand il était un petit homme
pas plus haut que trois pommes,
James Naismith allait souvent
en cueillir avec ses parents.

À Montréal, très loin de Rome,
il obtint ses diplômes
en théologie et en médecine.
Devenu professeur
d'éducation physique,
James chercha une activité
pour occuper ses étudiants
virevoltants
durant l'hiver si ennuyant.
Il y avait bien la gymnastique,
mais ce n'était pas suffisant.
Alors, il ramassa deux paniers
de fruits
qui traînaient près des cuisines.
Il les cloua à chaque bout
de la salle.
Il composa deux équipes,

leur lança un ballon
et c'est ainsi qu'est né
le ballon-panier !
(Quant à moi, mon sport préféré,
c'est le ballon-pied !)

Les frères Lumière (Français)
Auguste (1862-1954)
Louis (1864-1948)

Les frères Lumière,
dont le père était photographe
et non cascadeur,
inventèrent le cinématographe
et la photo en couleurs.

Ils commencèrent par projeter
« Le repas » de bébé
devant trente-trois spectateurs
qui hésitèrent entre avoir peur
et se précipiter derrière l'écran
pour découvrir où se cachait
la marionnette en bavette.

Le succès fut géant.
On en parla depuis Paris
jusqu'à la Nouvelle-Orléans.

Le cinématographe sans couleurs,
sans cinémascope, sans le HD
ni le 3D était né.

Il plut aux petits
comme aux plus grands
et les frères Lumière
vécurent très heureux
et longtemps.

Les frères Wright (Américains)
Wilbur (1867-1912)
Orville (1871-1948)

Les frères Wright faisaient du vélo
quand lors d'un accident,
l'un d'eux plana vraiment.
Lorsque Wibur le releva,
Orville s'exclama
(entre ses dents cassées
sur le devant) :
— F'est trop beau !
Les frères Wright décidèrent donc
de changer de passe-temps
pour jouer au cerf-volant.

Ils construisirent un biplan
et après sept cents essais,
leur planeur géant
muni d'une manette de direction
reçut un moteur et devint un avion.

De peur de se faire voler
(c'est le cas de le dire)
leur invention

avant qu'elle ne soit brevetée,
ils la cachèrent un an ou deux.
Ils réalisèrent ensuite des
démonstrations
en France où leur succès
fut éclatant.

Nos compères tout heureux
revinrent ensuite aux États-Unis
pour fonder leur compagnie
qui prospère encore aujourd'hui
sous le nom de la Curtiss-Wright
Corporation.

Joseph-Armand Bombardier
(Québécois, 1907-1964)

Le jeune Joseph-Armand
Bombardier,
tout seul dans l'atelier,
trouvait que la neige neigeait trop.
Elle l'empêchait d'avancer
sur les chemins glacés
aussi vite qu'en auto.
Armand commença par bricoler
un canon, un bateau miniature,
une locomotive, un tracteur,
une voiture.

Un jour, enfin, à force
d'expérimentations
lui vint l'illumination suprême.
Armand Bombardier construisit
un véhicule à moteur
muni de chenilles
pour transporter sa famille
à plus de 40 kilomètres-heure
sur la neige qui, malgré
le temps qui passait,
neigeait toujours trop.

Puis il transforma son auto-neige
en machine miniature
qui connaît encore beaucoup
de succès :
la fameuse auto-neige appelée
Ski-doo,
pour aller nulle part et partout
à une vitesse de fou.
Mais, à mon avis,
l'hiver, il neige encore trop.

Dernier avertissement

Les inventeurs, c'est bien joli, me direz-vous, mais où sont les inventrices ? C'est vrai qu'il y en a très peu qui sont devenues aussi célèbres que ces messieurs. Dans les temps anciens, l'éducation était surtout réservée aux hommes, et les femmes étaient souvent obligées de rester à la maison pour s'occuper de leurs nombreux enfants. Elles ont donc eu du mal à faire reconnaître leur génie.

Il existe tout de même des femmes exceptionnelles qui ont marqué l'histoire des sciences ou des arts comme : Marie Curie (qui découvrit le radium) ou encore Marguerite Yourcenar, Charlotte Brontë deux écrivaines réputées et l'impératrice Joséphine de Beauharnais et quelques reines dont Élizabeth II. Sans oublier notre cosmonaute nationale, ma préférée, Julie Payette !

A.R.

Caroline Merola

Ce n'est pas pour critiquer, mais le téléphone, l'avion, le télescope, tout ça c'est des inventions bien sérieuses. Bon, d'accord, le cinématographe, c'était une idée amusante.

Mais il reste encore beaucoup à faire : la machine à voyager dans le temps, par exemple, on en parle, on en parle, mais à ma connaissance, elle n'a pas encore été brevetée.

Tout comme le poiloscope, la machine à faire pousser les cheveux et les moustaches (attention les filles, ne vous trompez pas de bouton !). Ou encore la machine à faire parler les animaux : le bêtophone. Ou celle pour hypnotiser les gens. Ah ! c'est vrai, cette invention existe déjà, c'est l'ordinateur.

Maintenant, je vais vous faire une confidence. Je travaille ces temps-ci sur un projet top secret : une machine pour dessiner sans se fatiguer, le parressographe. C'est long, c'est compliqué, mais je vais finir par y arriver.

Table des matières

GARANT DES FORÊTS
INTACTES

Ce livre a été imprimé sur du papier Sylva enviro
100 % recyclé, traité sans chlore, accrédité Éco-Logo
et fait à partir d'énergie biogaz.

Achevé d'imprimer
à Cap-Saint-Ignace (Québec)
sur les presses de Marquis Imprimeur
en août 2012